Les
Sisters

10 : Survitaminées !

Dessins & couleurs
William
Scénario
Cazenove & William

BAMBOO
ÉDITION

À tous les runners et frappadingues de balades aveyronnaises. La Portnawak Run est un clin d'œil à la course d'obstacle millavoise : « la Nawak Run ».

Wendy : – Marine, tu es prête pour de nouvelles aventures ¿
Marine : – Ouaip ! Et je vais te mettre un vent, car j'suis « mieusse » que toi à la course.
Wendy : – 'porte quoi ! Je vais te mettre la misère, microbe !!!
3...2...1... Lisez !!! ;) :)

William

Retrouvez Wendy et Marine sur la page officielle : www.facebook.com/bdlessisters
ou sur www.facebook.com/BDfille

www.bamboo.fr

116 chemin des Jonchères
71850 CHARNAY-LÈS-MÂCON
Tél. 03 85 34 99 09 - Fax 03 85 34 47 55
Site Web : www.bamboo.fr
E-mail : bamboo@bamboo.fr

DEUXIÈME ÉDITION
Dépôt légal : octobre 2015
ISBN 978-2-8189-3448-7

PEFC
PEFC/10-31-1600
PROMOUVOIR LA GESTION DURABLE DE LA FORÊT

La fabrication de cet album répond au processus de développement durable engagé par Bamboo Édition.
Il a été imprimé sur du papier certifié PEFC.

Printed in France
Imprimé et relié en France par PPO Graphic, 91120 Palaiseau

IL PARAÎT QUE QUAND J'ÉTAIS ENCORE FILLE UNIQUE...
HOUBA! HOUBA!
BONK!

AH AH AH
BUNK!
BUNK!
BUNK!
JE COURAIS PARTOUT ET SAUTAIS DANS TOUS LES COINS...

YEHAAAAH
UNE VRAIE PILE ÉLECTRIQUE. TOUJOURS EN MOUVEMENT... INCREVABLE...

OOOUIIINN
?!

MAIS DÈS QUE MARINE EST NÉE, JE ME SUIS CALMÉE.
OOOUIIINN
ROOO... MAIS PLEURE PAS, PETIT BÉBÉ... TA GRANDE SISTER EST LÀ!

JE SUIS DEVENUE PLUS SAGE, PLUS RESPONSABLE...
HOULALALALA...
ATTENTION MARINE, TU VAS TE COINCER LES DOIGTS DANS LA PORTE.
POTE?!

ET C'EST MA SISTER QUI EST DEVENUE UNE VRAIE PILE ÉLECTRIQUE.
DIDI!
HI HI!
DIDIII

NON, SÉRIEUX, FAUT QUE VOUS FASSIEZ UN AUTRE BÉBÉ POUR CALMER MARINE...
J'EN PEUX PLUS MOI !!!
WALKING DAD

CAZENOVE ET WILLIAM

TADAAAM !
?
CADEAU POUR MA SISTER !!!

OH PURÉE, IL EST KRO BEAU, TON DESSIN, WENDY. J'ADOOORE !!!

MAIS C'ÉTAIT HIER MA FÊTE ...
ET TU M'AS DÉJÀ OFFERT UN DESSIN TROP JOLI.

IL EST OÙ LE PROBLÈME ?
TU SAIS BIEN QUE C'EST MON KIFF DE FAIRE DES SURPRISES À MA SISTER QUE J'AIME.
BIZ !
HI HI

D'AILLEURS, JE VIENS DE DÉCRÉTER QUE C'EST TOUS LES JOURS LA FÊTE DE MA P'TITE MARINE ADORÉE.
NON... POUR DU VRAI ?!

TOUS LES JOURS DE TOUS LES MOIS DE L'ANNÉE, CE SERA MA FÊTE AVEC DES BISOUS ET DES CADEAUX ?!
GAAAH...
J'AI LA MEILLEURE GRANDE SISTER DE TOUT L'UNIVERS !!!
JANVIER 1

TOUS LES JOURS SAUF LE 18 AVRIL BIEN SÛR. PUISQUE LÀ, C'EST LE JOUR DE MA FÊTE À MOI.

T'ES QU'UNE SALE GOÏÏÏISTE !!!
'PORTE QUOI ! PFFF ...

VÉRO, CAZENOVE ET WILLIAM

DIS WENDY, TU VEUX JOUER AVEC MOI À "COIFFURE ROBOSSANDRO" ???
ROBOSSANDRO

T'AS PAS L'IMPRESSION QUE JE SUIS UN PEU OCCUPÉE, LÀ ? TU TE LA FERAS TOUTE SEULE TA MISE EN PLIS.

BON, ON RETOURNE À NOTRE ALBUM PHOTOS, MON MAXOU.
PEUH !

LOL, MATE LA DÉGAINE DE MARINE QUAND ELLE BOUDE ...
TROP CRAQUANTE, NON ?!

C'EST BON, T'ES PAS TOUT LE TEMPS OBLIGÉE DE ME PARLER DE TA SISTER...
C'EST À MOI QUE TU CAUSES SUR CE TON, MAX ?

T'SAIS, SI ON CONTINUE DE SE VOIR, TU RISQUES DE LA CROISER ASSEZ SOUVENT, MA SISTER ...
... ALORS AUTANT QUE TU T'HABITUES TOUT DE SUITE, MON BONHOMME.

ÇA, C'ÉTAIT LE PREMIÈREMENT ...
... DEUXIÈMEMENT, JE PARLE DE QUI JE VEUX, QUAND JE VEUX ET C'EST SÛREMENT PAS TOI QUI...

?!
?!
TROP CRAQUANT !!!

CAZENOVE & WILLIAM

FROT
FROT
FROT

ROOOOO... IL EST KRO MEUGNON ...
T'AS VU, WENDY, COMME IL EST BEAU, CE CHATOUNET.

TU ADORES LES CARESSES, TOI, ON DIRAIT ?!
MAOW RRR RRRRR...

HI HI, REGARDE COMME IL SE FROTTE À MOI...
MAOW
IL M'AIME À FOND.

JE DIRAIS PLUTÔT QU'IL MARQUE SON TERRITOIRE.
QUOI ? IL M'ÉCRIT DESSUS ?!

LOL
EN SE FROTTANT, IL LAISSE SON ODEUR SUR TOI, ET QUAND IL TE REVERRA, ÇA LUI PERMETTRA DE TE RECONNAÎTRE.
EN FAIT, POUR LE CHAT, ÇA VEUT DIRE QUE TU ES À LUI.

???
ZIOUMVV...

HÉ HÉ. JE T'AVERTIS, JE ME SUIS FROTTÉE À TOUTES TES BD...
TES FRINGUES ...
TES DVD, TES CD TON LIT, TON BUREAU ...
FROT FROT FROT
TOUT EST À MOI MAINTENANT !!!

CAZENOVE ET WILLIAM

ALORS, ÇA VOUS BRANCHE QU'ON PARTICIPE À LA "PORTNAWAK RUN" TOUTES ENSEMBLE ?!
CARRÉMENT.
ÇA A L'AIR TROP COOL !!!

À FOND QUE MOI AUSSI JE ME BRANCHE AVEC VOUS ENSEMBLE !!!
HOULÀ... C'ÉTAIT PAS PRÉVU, ÇA.

T'SAIS, MARINE, LA "PORTNAWAK RUN" EST À BLOC DE CHOSES QUE T'AIMES PAS DU TOUT...
COMME... LES COURSES D'ORIENTATION, PAR EXEMPLE.

ET PUIS ON VA SE TRIMBALLER TOUTE LA JOURNÉE AVEC DES SACS TRÈS LOURDS SUR LE DOS...
ON VA TRANSPIRER PIRE QU'EN PLEIN ÉTÉ SOUS LA COUETTE.

COMME ON DEVRA DORMIR SUR PLACE, ADIOS NOS SÉRIES TÉLÉ !
BOUAH !
ET ON SERA TELLEMENT CREVÉES QU'ON N'AURA MÊME PLUS LA FORCE DE LIRE UNE BD AVANT DE S'ENDORMIR.

EH BÉ, ELLE EST COMPLÈTEMENT POURRITE, VOTRE COURSE... ÇA SERA SANS MOI !
– YES ! –
DÉBARRASSÉES DU CRAMPON !

SANS COMPTER QUE CE SERA BOURRÉ D'INSECTES ET QU'ON DEVRA PATAUGER DANS LA BOUE.

BIEN JOUÉ, SAMMIE !!!
OUAIS ! BRAVO !
HUM HUM
ELLE EST OÙ, LA BOUE ???
ELLE EST OÙ ???
ARF ARF
9
33
25
CANON

CAZENOVE ET WILLIAM

?
?
COUCOU, LES SISTERS !!!

NOOON ...
J'Y CROIS PAS...

T'ES DÉJÀ LÀ TOI ?!
CAMiiiiLLE...
Hi Hi Hi QUEL ACCUEIL !

MA COUSINE DE MOI QUE J'ADORE KRO PLUS QUE TOUT... YOUPPIE !

JE SAVAIS QUE TU SERAIS VIENDUE.
ÇA MÉRITE UN BIG CÂLINOU PARFUMÉ AUX MILLE BISOUS, PAS VRAI ?!

GNiii
BIG CÂLINOU, BIG CÂLINOU, BIG CÂLINOU ...
RAAAH MAIS MARINE ...

STOOOP!

J'AI COMPRIS, C'EST BON. T'ES CONTENTE DE ME VOIR, OK ! MAINTENANT, VA JOUER AILLEURS.

ET EN PLUS, TU M'ENVOIES BALADER... WAAAH ! T'ES VRAIMENT COMME UNE SISTER.
MUARF ARF
MAIS QUEL BOULET !!!

CAZENOVE ET WILLIAM

ALORS, VOUS ÊTES PRÊTES, LES FILLES ???

OUI... DEUX SECONDES WENDY...
PFFOOUUU... MAIS T'ES VRAIMENT OBLIGÉE DE TE TRIMBALLER CE GROS SAC ÉNORMISSIME ?
L'A L'AIR MÉGA LOURD.

BEN, TU VOIS, C'EST L'ÉQUIPEMENT MINIMUM DE TOUT MARCHEUR... CHAUSSURES DE RECHANGE, CARTES, BOUSSOLE ...

... DE QUOI MANGER, BOIRE, ALLUMER UN FEU SI BESOIN, DES FRINGUES, UN MIROIR, COUVERTURES, PETITE PELLE PLIABLE, ETC. ETC.

MAIS ON VA PAS FAIRE DES MILLIONS DE KILOMÈTRES AUJOURD'HUI...
DÉJÀ QU'HIER ON EN AVAIT TOUTES PLEIN LES PATTES...
C'EST PAS FAUX.

T'AS RAISON, MARINE...
J'AI PAS FORCÉMENT BESOIN DE PRENDRE MON SAC POUR CETTE PETITE RANDO.

YEEPAH !
HU HU HU ALLEZ HU HÉÉÉ... MAIS...
?!?

ALLEZ HU COCOTTE !
GO ! GO ! GO !
EN AVANT !
COMME JE ME SUIS FAIT AVOIR.
TAP !
TAP !

CAZENOVE ET WILLIAM

ATTENTION... DÉPART DE LA PROCHAINE COURSE ...
... DANS CINQ MINUTES.

HÉ MAIS HO, ELLE A VRAIMENT UN PROBLÈME TA SISTER, LÀ.
ELLE CRIE SUR TOUT LE MONDE SANS RAISON.
LA CALCULE PAS, SAMMIE.

JE LUI AI CONSEILLÉ DE S'ÉCHAUFFER AVANT CHAQUE COURSE, ALORS ELLE S'ÉCHAUFFE.
MOUAIS. BEN DU COUP, ELLE A ÉCHAUFFÉ TOUT LE MONDE.

CAZENOVE ET WILLIAM

ATTENTION ...
ALLEZ WENDY, TU VAS LES EXPLOSER !!!
ROC
T CANON
The Nawak'Run

...PRÊTES...
HOP ! BISOU MAGIQUE.
SMACK !

PARTEZ !

ALLEZ WENDY !
ALLEZ WENDY !
BOÏNG !
BOÏNG !

YES !
VICTOIRE DE WENDY !!!

MARINE, TU VIENS ?
NOTRE COURSE VA COMMENCER ...
OUI... DEUX SECONDES ...

AAHH T'ES LÀ, MAXOU...
PAS VRAI QUE JE VAIS LES EXPLOSER, MOI AUSSI, GRÂCE À TON BISOU MAGIQUE ?!

JE SUIS PRÊTE !
MMUMMM...

HÉÉÉ MAIS ...
C'ÉTAIT POUR ME FAIRE COURIR MOI !

CAZENOVE ET WILLIAM

JE CROIS SAVOIR À QUELLE ÉPREUVE VA PARTICIPER TA SISTER, WENDY ...
GL... GLOUB GLOUB
MMM ?

ÇA DOIT ÊTRE L'ACCROBRANCHE. Y A UN PARCOURS DE MALADE.

BIIIP... TOUT FAUX !!!
ALLEZ, CHERCHEZ ENCORE ...

HEEU... PEUT-ÊTRE UNE COURSE D'ORIENTATION ?!
AVEC TOUS CES ROCHERS IMMENSES, C'EST LOGIQUE.
BIIIP... TOUJOURS PAS.

LE LABYRINTHE DANS LES BUISSONS ALORS ?!
Y A PLEIN DE BESTIOLES ET ÇA, ELLE KIFFE.

AH AH VOUS ALLEZ CHERCHER TROP LOIN, LES FILLES...
ELLE VEUT JUSTE PARTICIPER À LA COURSE TOUTE SIMPLE, LÀ ...
BEN, POURQUOI ???

Y A DE LA BOUE !!!
AH AH
HOOo HÉÉÉÉ...

CAZENOVE ET WILLIAM

ET À CAUSE DE TOI, NOTRE ÉQUIPE ARRIVE DERNIÈRE !
DE QUOI ?

ÇA VA ENCORE ÊTRE DE MA FAUTE POUR CHANGER ?!
C'EST CLAIR ! T'ES UNE CATA AMBULANTE !

PUISQUE C'EST COMME ÇA, J'SUIS PLUS TA SISTER !
GÉNIAL ! ÇA ME VA TRÈS BIEN D'ÊTRE FILLE UNIQUE.

STOP!
VOUS N'EN AVEZ PAS MARRE DE VOUS HURLER DESSUS TOUT LE TEMPS ?
Y A PAS UN JOUR SANS QU'ON AIT DROIT À VOTRE CIRQUE DE DÉBILOS !
MMPFF

VOUS NE VOUS RENDEZ MÊME PAS COMPTE DE LA CHANCE QUE VOUS AVEZ.
C'EST ÇA QUI M'ÉNERVE !!!

MOI, J'EN AI PAS, DE SISTER...
ET ÇA ME MANQUE GRAVE.
VOUS DEVRIEZ Y RÉFLÉCHIR DEUX MINUTES.

JE PRENDS SAMMIE COMME SISTER !
LÂCHE-LA !
DÉGAGE, ELLE EST À MOI !
GNIiiii...
LÂÂÂÂCHE LAAAA...

CAZENOVE ET WILLIAM

BON, ALORS, WENDY, OÙ EST-CE QU'ON LA PLANTE, CETTE TENTE ???
OUAIS ÇA FAIT JUSTE QUE DES PLOMBES QU'ON TOURNE LÀ...

ON VA PAS NON PLUS SQUATTER N'IMPORTE OÙ. HISTOIRE D'ALLER VITE QUOI...
ET POURQUOI PAS ICI, LÀ, TIENS ?!

SANS MOI, ALORS... C'EST DÉJÀ HABITÉ PAR DES MILLIARDS DE BESTIOLES IMMONDES.

NON! TROP PRÈS DE LA RIVIÈRE ...
SI ELLE DÉBORDE, ON EST FICHUES.

BEAUCOUP TROP DE VENT DANS CE COIN.
NIAN NIAN NIAN

PAS LÀ NON PLUS... SI LES CAILLOUX DÉGRINGOLENT, ON VA SE RÉVEILLER EN MODE CRÊPE.

ICI C'EST IMPEC!
LE TOP DU TOP !!!

ON A BIEN FAIT DE CHERCHER UN PEU... PAS VRAI LES FILLES ?!
C'EST L'ENDROIT IDÉAL!

CAZENOVE ET WILLIAM

PFFF...
?
?

HUM HUM HUM, HÉ, PSSST... LA MORPIONNE ...
CHUUUT...

TU VAS TE DÉCIDER, OUI ? L'HIVER VA BIENTÔT ARRIVER SI ÇA CONTINUE.

ICI. PLANTER TENTE. TU PEUX.
EH BÉ... C'EST PAS TROP TÔT.

WENDY, QU'EST-CE QU'ELLE ÉCOUTE, TA SISTER ??? SI LES COW BOYS ARRIVENT ?!
SI SEULEMENT...

EN FAIT, ELLE VEUT JUSTE S'ASSURER QU'ON NE VA PAS BLESSER SES PETITS INSECTES CHÉRIS EN PLANTANT LES PIQUETS DE TENTE.
NON NON NON CAMILLE... PAS LÀ, Y A TOUTE UNE FAMILLE D'ASTICOTS QUI HABITE ICI !!!
?!

CAZENOVE ET WILLIAM

NON MAIS, JE VOUS EXPLIQUE JUSTE, ÇA S'EST PASSÉ LE WEEK-END DERNIER À DEUX PAS DU VIADUC...

CRACK!
CRACK!
YAHAAH!
MARINE SE LA JOUAIT KARATÉ KID DE LA SAVANE ET FRACASSAIT TOUT AUTOUR D'ELLE...
CRACK!

MARINE... ARRÊTE DE CASSER TOUTES LES BRANCHES COMME ÇA.
M'ENFIN, UN ARBRE EST UN ÊTRE VIVANT ET LÀ TU LE FAIS SOUFFRIR.
ELLE EST PAS DRÔLE, TA BLAGUE.

JE BLAGUE PAS... C'EST SENSIBLE, TU SAIS.
JE RESSENS TOUTE SA SOUFFRANCE.
PFFF... TU DIS ÇA POUR FAIRE TA GRANDE.

CE LIQUIDE, TU VOIS ?! C'EST LA SÈVE DE L'ARBRE, C'EST COMME NOTRE SANG.
MAAAA... MAIS, J'SAVAIS PAS... ET ON PEUT LE GUÉRIR ???

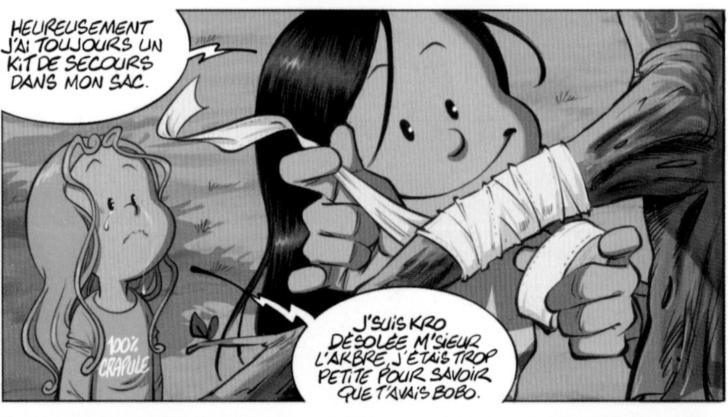
HEUREUSEMENT J'AI TOUJOURS UN KIT DE SECOURS DANS MON SAC.
100% CRAPULE
J'SUIS KRO DÉSOLÉE M'SIEUR L'ARBRE, J'ÉTAIS TROP PETITE POUR SAVOIR QUE T'AVAIS BOBO.

JE SAIS, JE SAIS, FAUT QUE J'ARRÊTE DE VOULOIR APPRENDRE DES TRUCS À MARINE...

NE CRAIGNEZ RIEN MES P'TITS ZARBRES, JE VAIS TOUS VOUS SOIGNER, MOI !
DU COUP, PARTEZ SANS NOUS... SINON, JE SENS QU'ELLE VA DURER DES HEURES CETTE RANDO.

CAZENOVE ET WILLIAM

ET C'EST LÀ QUE SURGIT LE ZOMBIE DE LA FORÊT... BEUUHAAAHH... IL RATTRAPE LES CAMPEURS ...
...ET LES TRAÎNE AU FOND DU LAC EN DÉCOMPOSITION... GROGNEUK GNEUK...

FIOU... FLIPPANT !!!
ELLE FILE PLUS LA FROUSSE QUE L'HISTOIRE DE "LA DAME EN BLANC" D'ANAÏS.
C'EST CLAIR QUE C'EST TOI LA MEILLEURE POUR NOUS EFFRAYER, WENDY.
À MOI, À MOI, À MOI, VOUS ALLEZ VOIR QUI C'EST QUI FAIT LE PLUS PEUR.

PFFFR... ON VA RIRE PLUTÔT.
ÇA VA PAS ÊTRE FACILE DE FAIRE MIEUX QUE CES DEUX GRANDS CLASSIQUES DE L'ÉPOUVANTE.

JE PENSE QUE TU PEUX MÊME PASSER TON TOUR.
ÇA VA PAS ÊTRE TRÈS LONG TOUTE FAÇON ...

ALORS, POUR COMMENCER, ON DORT BIEN TOUTES DANS LA MÊME TENTE, CE SOIR, PAS VRAI ?!
BEN OUAIS, MAIS ELLE DÉBUTE POURRIE, TON HISTOIRE, DÉJÀ.

ATTENDS, WENDY... VOILÀ, ÇA FAIT À PEU PRÈS QUINZE JOURS QUE J'AI PAS CHANGÉ DE CHAUSSETTES...

AAAAAAH...
C'EST QUI LA MEILLEURE POUR FAIRE PEUR MAINTENANT ?
NOOOOON...
RAAH
AU S'COURS !
SORTIR ! SORTIR !

CAZENOVE ET WILLIAM

MARINE, EST-CE QUE TU AS PRIS TA BOUTEILLE D'EAU?
TU SAIS QU'AVEC CETTE CHALEUR, TU DOIS BOIRE RÉGULIÈREMENT N'EST-CE PAS ?!
OUI OUI, KESS-TU CROIS... J'SUIS PAS NEUNEU !!!

ET AVEC UNE CANICULE PAREILLE, IL EST IMPORTANT DE SE MOUILLER AUSSI ...
GLOU GLOU
GLOU
LES CHEVEUX, LE VISAGE, LES BRAS ...
SINON, C'EST UN COUP À CHOPER UNE INSOLATION.

OAÏE!
BOC!

C'EST IMPORTANT AUSSI DE BIEN SE SÉCHER...
ARF ARF ARF
AH AH AH MUAH
HI HI HI
LES CHEVEUX, LE VISAGE, LES BRAS ...
C'EST UN COUP À CHOPER UN RHUME SINON.
GRUMPF.

CAZENOVE ET WILLIAM

YEEHAAAAH...

CAILL'!
GLA
GLA
GLA

GLA GLA... WEN... WEN... WENDY... GLA ...TU... TU, T'AURAIS PAS UN TRUC QUI, QUI... QUI... RÉCHAUFFE?

AH HA, T'ES BIEN CONTENTE DE L'AVOIR AVEC TOI, TA GRANDE SISTER QUI PENSE À TOUT... PAS VRAI ?!
ÇA... ÇA, ÇA CARRÉMENT !!!

TIENS, AVEC UN BON CHOCOLAT CHAUD, ÇA DEVRAIT ALLER MIEUX.
MER... MER... MER MERCI ...

C'EST BON, VOUS POUVEZ VENIR VOUS BAIGNER ...
ELLE VA BIENTÔT ÊTRE À BONNE TEMPÉRATURE.

CAZENOVE ET WILLIAM

BÂILLE...

BOUH!
Hiiiiiiiiiink...

RAAAAH... ARRÊTE D'AGITER CETTE HORREUR SOUS MON NEZ, TU SAIS TRÈS BIEN QUE JE DÉTESTE ÇA.
AH AH
VAS-Y, GODZILLA, ATTAQUE !!!

ET VOILÀ, ÇA ME GRATTE DE PARTOUT MAINTENANT, C'EST MALIN.
VIRE ÇA DE MA VUE !!!

J'EN AI MÊME LA MÉGA CHAIR DE POULE, REGARDE.
AH AH HI HI PIPI PIPI

STOP! JE TE DIS, JE RIGOLE PLUS, LÂCHE CE MACHIN IMMONDE.
WOAH HÉ, C'EST BON, SI ON PEUT MÊME PLUS RIGOLER.

C'EST PAS À TOI QUE JE CAUSE, MAIS AU SCARABÉE.
?!

MAIS HEEEUUU... JE SUIS PAS UN TRUC IMMOOOONDE...
BOUAHAAAHHH...
WOAH HÉ, C'EST BON, SI ON PEUT MÊME PLUS RIGOLER.

CAZENOVE ET WILLIAM

IL EST CORSÉ, TON CHEMIN DE RANDONNÉE, WENDY.

JE SAIS, C'EST FAIT EXPRÈS. J'SUIS MÊME VENUE EN REPÉRAGE IL Y A 3 JOURS.
AH, V'LÀ AUTRE CHOSE, TIENS ...

TU VAS COMPRENDRE, SAMMIE... ON VA BIENTÔT ARRIVER DEVANT UN ARBRE COUCHÉ PAR TERRE...
ET ALORS ?

ET ALORS, JE FERAI SEMBLANT DE GLISSER ET ZOUP! MAXENCE ME RATTRAPE DANS SES BRAS... HOP! INSTANT BISOUS, QUOI.
HÉ HÉ
PAS BÊTE. TIENS, JUSTEMENT LE VOILÀ, TON ARBRE.

HOULÀ LÀ LÀ... MAIS QUEL OBSTACLE, PFIOU, LÀ LÀ LÀ...
IL EST LARGE CELUI-LÀ.

HOULÀ. JE GLISSE, JE VAIS, JE VAIS, JE VAIS TOOOMB...

...BER!
AÏE!

ET HOP!
HIN HIN. T'AVAIS QU'À TOMBER LA PREUMSS.

CAZENOVE ET WILLIAM

♫ TROIS ♫ KILOMÈTRES À PIED ÇA M'USE, ÇA M'USE... TROIS KILOMÈTRES À PIED... ÇA M'USE MES P'TITS PIEDS...

HOUPS ! ATTENDS WENDY. J'AI OUBLIÉ DE PRENDRE MA GOURDE.

5 MINUTES PLUS TARD...
VOILÀ VOILÀ, ET J'EN AI PROFITÉ POUR RAMENER TON NAÏPOD...
J'ADORE KRO MARCHER EN MUSIQUE.

OH PURÉE IL ME FAUT AUSSI MON CARNET À DESSIN...
ON SAIT JAMAIS, S'IL Y A DES JOLIS NÉCUREUILS.
GRUMPFF

AYÉ ! ET JE T'AI PRIS TES CRAYONS, SI TU VEUX COLORIAGER AVEC MOI.

HOULÀ, J'AURAIS PU PENSER À PRENDRE DES COOKIES, BOUGE PAS !
J'AURAI TROP LA DALLE SINON.
GNI...

BON, C'EST QUAND TU VEUX, HEIN ?!
ON VA PAS Y PASSER LA JOURNÉE NON PLUS !

OUI OUI OK OK ARF ARF ARF
MAIS... ON PEUT PAS FAIRE UNE PAUSE, LÀ ?
J'SUIS CREVÉE, MOI.
ARF
ARF

CAZENOVE ET WILLIAM

CLAQUÉE... NAZE... RABOTÉE...
ÉPUISÉE.. VIDÉE.. LIQUIDE...

ARF. ÇA M'A TUÉE, TOUS CES PARCOURS D'OBSTACLES.
CLAIR! C'EST PAS POUR LES RAMOLLOS DE LA COUENNE.
INVINCIBLE

N'EMPÊCHE, MINE DE RIEN, ON A GRIMPÉ DES KILOMÈTRES DE TRONCS D'ARBRES.
ET PUIS QU'ON A COURU SUR DES MILLIARDS DE DIZAINES DE CAILLOUX, PAS VRAI ?!
INVINCIBLE

PERSO, MON SEUL OBJECTIF, MAINTENANT ...
C'EST LE ...

CA...
...NA...
...PÉ !
ROAAAH.. LE PIED !!!

ON VA ENFIN POUVOIR REPRENDRE UNE ACTIVITÉ NORMALE.
AH MAIS OUIiiii ...

OOOUAAiiiS... À FOND LES BOULONS!
JE PEUX SAUTER SUR TON LIT? ON FAIT DU CATCH?
ON JOUE À QUOI? ON JOUE À QUOI?
NON NON NOOOON, J'AI RIEN DIT J'AI RIEN DIT!

CAZENOVE ET WILLIAM

LE CAMION DE PIZZAS, LA LIBRAIRIE BD, LE MAGASIN DE JOUETS, RASSURE-MOI, WENDY... ON A TOUT VU LÀ ?!
OH QUE NON ! IL MANQUE ENCORE LA VISITE DE SA CHAMBRE.
QUAND MA SISTER SE LA JOUE GUIDE TOURISTIQUE, ÇA PEUT DURER DES HEURES.

CAZENOVE ET WILLIAM

MA COUSINE CAMILLE EST COMME UNE SISTER POUR MOI...
PLUS LOIN PLUPLUPLUS LOOIIIN...

ON EST CARRÉMENT SUR LA MÊME LONGUEUR D'ONDES.
On cé Tro Tro é Kla'T'!!!
on cé fé un 6 né 2 main ?!

ON SE TAPE DÉLIRES SUR DÉLIRES...
JE SUIS TON VIEUX... JEUNE SKYWALKER.
AH AH AH AH AH
VII

J'PEUX PAS DIRE MIEUX, ELLE EST COMME MA SISTER.
MUAH AH LES TRONCHES!
LOL
AH AH AH

CHRIG CHOMPF VROUCH MIORF CHV CHOV ZCHRX ?!
?!

OOH ARARAR CH VCH MIOECH CM MOO VCMARCHXI!
VCHO CHI CRAPOTOCH CHIPCHS!
AR! AR! AR!
CHIVF CHIFIV MORFCH

RECTIFICATION...
MIOCHIV MIOM CHOVCH BOUFFROCH HIR HIR HIR
CHMOUF CHMARKF
HIR HIR
??
PERSONNE N'EST COMME MA SISTER!

CAZENOVE ET WILLIAM

BON. WENDY, TU JOUES OU QUOI ?
DEUX SECONDES, CAMILLE.
HÉ! LA MORPIONNE ...

TOI, T'AS LA TÊTE À PRÉPARER UNE BLAGUE DÉBILE OU J'ME TROMPE ?!
Hi Hi oui oui Hi Hi

JE VAIS FILER LA TROUILLE À ANAÏS AVEC CETTE ARAIGNÉE EN PLASTOC.
LES BÊBÊTES POILUES, ÇA L'HORRIPUSTULE.
AH AH AH AH
HEU... À TA PLACE J'ÉVITERAIS ÇA, MARINE.

BO BO BOP... ON N'A PLUS LE DROIT DE RIGOLER PEUT-ÊTRE ?
MARIIINE NON...
Le Bonhomme en pain d'épice

?!

ON A ESSAYÉ DE LA PRÉVENIR QUE C'ÉTAIT SUPER DANGEREUX DE FAIRE HURLER ANAÏS...
RIEN À FAIRE.
POURTANT, TOUTE LA FAMILLE LE SAIT ?!
VOILÀÀÀ ...
MAINTENANT, ÉCOUTEZ LA MUSIQUE MOINS FORT, MADEMOISELLE.

CAZENOVE ET WILLIAM

WENDY, TU VOUDRAIS PAS...
PAS LE TEMPS DE JOUER AVEC TOI AU DOCTEUR DU CERVEAU. JE CLASSE MES PHOTOS DE LA COURSE D'HIER.

MAAAIS... J'AI VRAIMENT TROP MAL ET C'EST PAS POUR DE RIRE !
FAUT COUPER ! T'AS PAS BESOIN DE MOI POUR ÇA... AH AH !

ÇA ME TIRE TELLEMENT DANS LES BRAS QUE J'ARRIVE PAS À ATTRAPER LE POT DE NULTELA QUI EST CACHÉ DANS LE PLACARD.
MES MOLLETS, C'EST PIRE ...
ET ÇA FAIT COMME SI J'AI TOUT PLEIN D'AIGUILLES QUI PIQUENT DEDANS MON DOS...

JE CROIS QUE J'AI CHOPÉ UNE MALADIE ET IL FAUT QUE TU MOUSSCULTES !!!
PFFFRR MUHAHAH AH, MAIS NON, T'ES PAS MALADE, VA.
DOCTEUR MABOULE

RÉFLÉCHIS, MARINE. ON A PASSÉ DES JOURS D'AFFILÉE À FAIRE DU SPORT ...
DE LA MARCHE AVEC NOS SACS À DOS BIEN CHARGÉS...
TU AS JUSTE MAL À TES MUSCLES, VOILÀ !

MOI AUSSI, J'AI MAL DE PARTOUT. QUAND ON FAIT BOUGER SES MUSCLES ASSEZ LONGTEMPS...
BLA BLA BLA BLA BLA BLA BLA
... ÇA TIRE ET ÇA FAIT MAL, RIEN DE PLUS NORMAL.

MAIS ALORS ...
DOCTEUR MABOULE

OH LÀ LÀ, MA PAUVRE ANAÏS, COMME TU DOIS TROP AVOIR MAL À TA LANGUE, TOI.
?? !?

CAZENOVE ET WILLIAM

MIAM. DES NOISETTES VIVANTES... ON VA KRO SE RÉGALER, ANAÏS.
OUIIII... ON EN A TOUT PLEIN.
?!
POC
POC
POC
POC

TIENS MARINE. CETTE PIERRE EST ASSEZ COSTAUD POUR LES CASSER, NON ?!
FAIS VOIR ÇA.

BROK!
BROK!
BROK!

HÉÉÉ OOOOH... PAS MOYEN DE GOÛTER TRANQUILLE ICI... PUIS, PAS LA PEINE DE TAPER AUSSI FORT ON N'EST PAS DES SAUVAGES, QUAND MÊME.

OK! TOUT DOUX, TOUT DOUX ...
TUNK! TUNK! TUNK!

RAAAAH... DONNE-MOI ÇA.
JE VAIS TE MONTRER UNE BONNE FOIS POUR TOUTES.
CHOP!

C'EST PAS COMPLIQUÉ QUAND MÊM...

BROK
WOAÏIIE!

PAS LA PEINE D'HURLER AUSSI FORT, ON N'EST PAS DES SAUVAGES QUAND MÊME.
PFFFRRR...
AÏE
WOAÏE
YAÏE
AÏE AÏE
AÏE AÏE

CAZENOVE ET WILLIAM

ÇA FAISAIT LONGTEMPS QUE PAPA ET MAMAN NE NOUS AVAIENT PAS AMENÉES ICI, PAS VRAI SISTER ?!
WOUAI HU HU J'ADORE **KRO** ! ON VA S'ÉCLATER, WENDY.
PAR QUOI TU VEUX COMMENCER ? JE TE LAISSE CHOISIR.
BAMBOOSPEED

TU AS LE TOBOGGAN DE LA TROUILLE QUI REND DINGO ...
MMM...

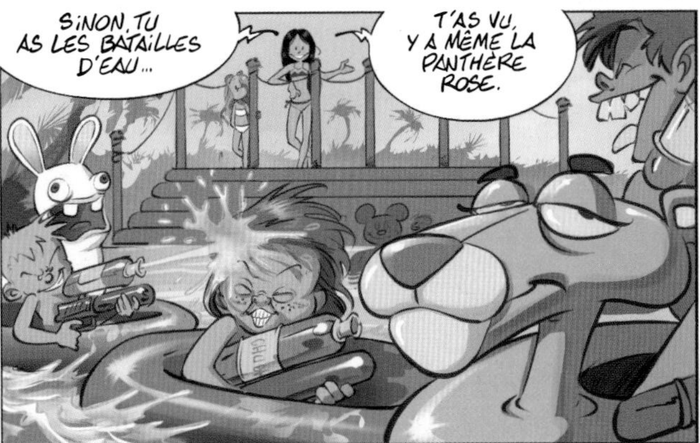
SINON, TU AS LES BATAILLES D'EAU...
T'AS VU, Y A MÊME LA PANTHÈRE ROSE.

LA COURSE DE CANOË DANS LES RAPIDES, C'EST NOUVEAU ET ÇA A L'AIR TROP DÉLIIIRE ...
ALORS, TU TE DÉCIDES ? TU VEUX FAIRE QUOI ???

JE SAIS, JE SAIS PAR QUOI JE VEUX COMMENCER TOUT DE SUITE, LÀ, MAINTENANT, NOW !

NOOON... J'Y CROIS PAS... VOUS FAITES UN **NI OUI NI NON** ICI ?!
MOI, J'AI ARRÊTÉ D'ESSAYER DE COMPRENDRE COMMENT FONCTIONNAIT MA SISTER, T'SAIS...
EMMA, T'AS PERDU ! T'AS DIT **NON** ET T'AS DIT **OUI**, AH AH LA NULLOS !

CAZENOVE ET WILLIAM

SI T'AS L'OCCASE, N'HÉSITE PAS, CAMILLE. VA LES VOIR EN CONCERT.
CLAIR! ILS DÉCHIRENT TOUT, LES SHAKA PONK.
WENDY...

DÈS LA PREMIÈRE CHANSON, C'ÉTAIT LA FOLIE DANS LA SALLE...
WENDY...
WOAH

ET TU SAIS QUOI?! GRÂCE À L'ONCLE À MAXENCE, ON A EU ACCÈS AU BACKSTAGE...
C'EST LES COULISSES DE DERRIÈRE...
WENDY...

NON SEULEMENT ON LES A VUS, MAIS ON A PU LEUR PARLER... WOAAH! ILS M'ONT MÊME DÉDICACÉ UN CD ET MA CASQUETTE.
WENDY...
ELLE NE L'ENLÈVE PLUS DEPUIS... AH AH!
GÉNIAL QUOI... NON MAIS JE HUUUURLE...

BREF, AVANT LE CONCERT, J'ÉTAIS JUSTE FAN, MAIS MAINTENANT, JE SUIS COMPLÈTEMENT ACCRO, TU VOIS.
JUSTE ÉNORME QUOI ?!
AH AH AH
WENDY...

WEEENDYYY...
QUOI ???

TU PEUX NOTER, ANAÏS, QUE PLUS ON VIEILLIT, PLUS ON DEVIENT SOURD.
CARRÉMENT! TU L'AS APPELÉE AU MOINS DIX FOIS AVANT QU'ELLE RÉPONDE.
ALLEZ. ON FAIT LE TEST SUR MES PARENTS, MAINTENANT.

CAZENOVE & WILLIAM

MOI, J'AI PEUR DE RIEN !!!

J'SUIS UNE VRAIE CASS'CROÛT !
YIHAAAAAH..

ÀFOOOOND...

YOUUHOOOU...
JE VOOOLE !!!
AH AH AH
SPLOUF !

OOOOUAIIIS.., C'ÉTAIT GIGA KRO BIEN... J'Y RETOURNE. YEHAAAH !
TU SAIS, SAMMIE, J'AURAIS JAMAIS CRU DIRE ÇA UN JOUR, MAIS LÀ, J'AIMERAIS BIEN VOIR CE QU'IL SE PASSE DANS LA TÊTE DE MA SISTER.
CLAIR !

CAZENOVE ET WILLIAM

SNURF
SNURF
SNURF

SNURF
SNURF

SNURF
SNURF
SNURF
SNURF
SNURF

SNURF
SNURF SNURF

SNURF
SNURF
SNURF

ATCHOOOOOUM...

TOI, JE VAIS TE...
BOC!
AH AH, TU VOIS BIEN QUE C'EST À TOI QUE SUIS ALLERGIQUE, WENDY !
PAS MA FAUTE QUAND MÊME. LOL

CAZENOVE & WILLIAM

PFIOUH! TU FAIS LA MÊME TÊTE QUE MOI QUAND J'AVAIS PERDU À "BALLON PRISONNIER".
MOUAIS... PAS LA PATATE.
MMPFF...

UNE PATATE? TU VEUX QUE J'AILLE T'EN CHERCHER ?
LAISSE TOMBER, JE ME DEMANDE SI MAXENCE M'AIME VRAIMENT... VOILÀ.

ON N'A CARRÉMENT PAS LES MÊMES GOÛTS...
IL KIFFE LE FOOT, MOI, JE TROUVE ÇA NUL. J'SUIS FAN DE CINÉ, LUI, ÇA L'ENDORT...
QUAND JE VEUX ME BALADER DANS LES BOIS, IL PRÉFÈRE JOUER À SES JEUX DÉBILES SUR SON SMART-PHONE.
ETC... ETC...

AH, BEN, C'EST COMME NOUS DEUX, EN FAIT.
QUE ???
DOUM DOUM DOUM

JE DÉTESTE COMME TU T'HABILLES.
TU TE MAQUILLES PIRE QUE POUR HALLOWEEN.
ET TON PARFUM PUE LA SOUPE.

MAIS MALGRÉ TOUT ÇA, T'ES MA GRANDE SISTER PRÉFÉRÉE QUE J'ADOOORE TROP.
C'EST PAS BÊTE CE QUE TU DIS.

ON N'EST PAS FORCÉS D'AVOIR LES MÊMES GOÛTS POUR S'AIMER !

MERCI MA SISTER, JE VAIS ALLER REJOINDRE MON MAXOU.
BIZ!

MAIS DÈS QUE JE REVIENS, ON PARLERA DE CES HISTOIRES DE FRINGUES, DE MAQUILLAGE ET DE PARFUM QUI SENT LA SOUPE.
GULP!

CAZENOVE & WILLIAM

SNURF
SNURF
SNURF

HÉ, MISS CATA, IL FAUT QU'ON PARLE DE CE QUE TU M'AS DIT L'AUTRE JOUR, T'SAIS ?!
AH !

POUR ME REMONTER LE MORAL, QUAND J'ALLAIS PAS TROP BIEN...
TU AS FINI PAR ME DIRE QUE...

DIS, TU M'ÉCOUTES ???
OUAIS OUAIS...

J'AI PAS TROP AIMÉ QUAND TU AS LÂCHÉ QUE MON PARFUM SENT LA SOUPE... PARCE QUE D'ABORD, C'EST UN PARFUM QUE MAXENCE M'A OFFERT.
MMM
TUNK !
TUNK !

ALORS T'AS INTÉRÊT À T'EXCUSER. UNE ODEUR DE SOUPE, C'EST PAS SYMPA ET C'EST...
HÉ... HO !
MMM
CLOP.

M'ENFIN, MAIS QU'EST-CE QUE TU...
SNURF
SNURF
SNURF

SOUPE DE P

WENDY T'A ENCORE PLAQUÉ, C'EST ÇA ?!
SNURF SNURF
NON NON, ELLE M'INTERDIT JUSTE DE LUI FAIRE D'AUTRES CADEAUX.

CAZENOVE ET WILLIAM

BALLON PRISONNIER, BALLON PRISONNIER ...
YouHaOu!

ALLEZ MARINE, ON FAIT LES ÉQUIPES.
ET JE CHOISIS... SAMMIE.
YES!

MOI JE PRENDS... LOULOU, POUR ÊTRE DANS L'ÉQUIPE DES VICTOIRIEUSES.
CHECK!
CHECK!

CAMILLE, AVEC NOUS.
OUIII. BON CHOIX, COUSINE.
ANAÏS, AVEC MOI !!!

EMMA, VIENS PAR LÀ, TOI.
NATH, T'ES À MOI!
YOUPI!

ALLEZ LES FILLES, C'EST PARTI!
BEN, VOUS ALLEZ OÙ ???

MAIS ATTENDEEEZ, PARTEZ PAS ...
ON REFAIT UNE PARTIE... MAIS CETTE FOIS, C'EST MOI QUI CHOISIS EN PREMIER.
???

CAZENOVE ET WILLIAM

ET IL EST POUR QUI LE BON GROS GÂTEAU CARAMEL, SARDINES À L'HUILE ?
POUR MES MONSTROGNOUNETS, BIEN SÛR !

C'EST BÊTE QUE MON FOUR CHAUFFE PAS POUR DU VRAI, WENDY.
ENCORE HEUREUX ! C'EST UN JOUET.

C'EST COMME TA CAFETIÈRE ; T'AS REMARQUÉ QU'ELLE NE FAISAIT PAS DU VRAI CAFÉ, J'ESPÈRE ?!
HEEEU...

TIENS, TON PISTOLET LASER, LÀ... TU CROIS VRAIMENT QU'IL ENVOIE UN RAYON DE LA MORT ?
BEEEN ...

IDEM POUR TA CAISSE DE VENDEUSE OU TON CHEVAL ...
CE SONT DES JOUETS, MARINE.
C'EST PAS COMPLIQUÉ, T'SAIS...
TAP TAP
NOOOOU...

QUAND C'EST PLUS PETIT QUE LES VRAIS ET QUE ÇA N'Y RESSEMBLE PAS VRAIMENT, C'EST UN JOUET !!!

TIP TIP

!

JE SUIS QU'UN JOUEEET ...
OOOUIIN

CAZENOVE ET WILLIAM

ALLEZ, ON FILE AU SKATE PARK ...
MEG ET EMMA DOIVENT DÉJÀ Y ÊTRE.

?!!!

VOUS M'ATTENDEZ J'ARRIVE.
OK WENDY, MAIS DÉPÊCHE !

REGARDE, MARINE ...
JE VOULAIS TE MONTRER UN TRUC.

CONCENTRATIOOON... C'EST PARTI.
...1...
...2...
...3...
TUNK
TUNK !
TUNK !

TUNK !
...13...
...14...
TUNK !
...15...
TUNK !
CLAP CLAP
WOUAH ! T'ASSURES !!!

PULVÉRISÉ TON RECORD DE 5 REBONDS...
ET SANS FORCER EN PLUS.

C'EST BON LES FILLES, ON EST PEINARDES ...
ELLE EN A POUR LA JOURNÉE AU MOINS.
1... 2... 2 ET DEMI...
AH AH
AH AH
AH AH AH

CAZENOVE ET WILLIAM

PARFOIS, J'AI L'IMPRESSION DE PARTAGER MA VIE AVEC UN PHACOCHÈRE...
EURK!
BÂFRE BÂFRE
CH'AVALE LA PIJJA D'UN CHEUL COUP, CH'AS VU ?!
MIOM MIOM MIOM

OU AVEC UN PARESSEUX, MAIS UN MÉGA FAINÉANT.
PRRROOO
KRROOOONFLOOO

MA SISTER A AUSSI UN P'TIT CÔTÉ OURS BRUN...

UN LION PRÊT À ATTAQUER PARFOIS...
TOI, JE VAIS TE...
MAIS OUI, MAIS OUI LOL, FINIS TON FLAMBY D'ABORD.

UNE HYÈNE...
TU CHERCHES LE GRAND SCHTROUMPF ?!
HI HI IH HI HI HI HI HI HI... PIPI
'PORTE QUOI!

UN ORANG-OUTAN...
HONK HONK HONK
RAAAH MAIS...
HONK

TU N'VEUX PAS VENIR AU ZOO AVEC NOUS ALORS ?!
NON NON, C'EST BON, J'LES CONNAIS PAR COEUR, LES ANIMAUX.

CAZENOVE ET WILLIAM

POW LÀLÀ, ON A PASSÉ DES VACANCES TROP DÉMENTES, T'SAIS MEG...
MOI AUSSI, JE VEUX RACONTER À MEG.

BON, D'ABORD, LA "PORTNAWAK RUN", LE KIFF TOTAL, CETTE COURSE.
MÊME MOI, J'AI AIMÉ, PAS VRAI, WENDY ?!
SLURP!

ENSUITE, ON A PASSÉ DEUX JOURNÉES AVEC UN ÉNORME SOLEIL AU...
AU PARC À QUOI TIK !!!

ON A ÉTÉ DORMIR CHEZ NOS GRANDS-PARENTS ET...
...ET LEUR TOUTOU DARWIN ÉTAIT TOUT LE TEMPS QU'AVEC MOI...
DANS LE LIT, SOUS MA CHAISE ET MÊME DANS LE BAIN HI HI.

NOS COUSINES ANAÏS ET CAMILLE ONT PASSÉ TOUT L'ÉTÉ AVEC NOUS.
ELLES SONT SYMPA TOUTES LES DEUX.
NORMAL, C'EST NOS COUSINES.

MAIS VOILÀ, ON REPREND L'ÉCOLE DEMAIN, JE DOIS TE LAISSER MEG.
OUI, ON A TROP DE DEVOIRS, FAUT QU'J'Y AILLE AUSSI.
PFIOUUU TROP DUR !!!

MAIS MOI AUSSI, FAUT QUE J'Y VAIS, D'ABORD ...
TOI T'AS DES DEVOIRS ???

BAH OUI, TOUT PLEIN, FAUT QU'JE PRÉPARE UNE FARCE À FAIRE À PAPA, MAMAN...
JE DOIS INVENTER DES BLAGUES À RACONTER À NATH ET LOULOU...
FAUT AUSSI QUE J'AILLE FOUINER DANS TA CHAMBRE !!!
PFIOUU... KRO DUR !!!

CAZENOVE et WILLIAM

OH NOOON... C'EST PAS VRAI ?!
QUAND J'AI SU QUE MARINE AVAIT EU UN COURS SUR LES HOMMES DES CAVERNES, J'AI FONCÉ JUSQU'À LA MAISON...
MAIS IL ÉTAIT DÉJÀ TROP TARD !!!
CAZENOVE ET WILLIAM

SAVEZ QUOI ? CE SOIR, C'EST CHEF MARINE QUI PRÉPARE LE REPAS.
MOUAÏ YAÏ AÏE ! ...

ON NOUS A APPRIS UNE TROP BONNE RECETTE À L'ÉCOLE...
EH WENDY, TU VIENS M'AIDER, J'AI DES TRUCS À COUPER.

IL ME FAUT ÇA, ÇA, PUIS ÇA...
...ÇA...
PAS ÇA... RAAAH... MAIS OÙ QU'IL EST LE PERSIL ???

ALORS, TOI, TU VAS COUPER LES CAROTTES EN PETITS DÉS...
...LES TOMATES EN TRANCHES TELLEMENT FINES QU'ON VOIT À TRAVERS, ET TU TAILLES EN PETITS MORCEAUX LE POULET, MERCI, MA SISTER.
OK !
SHOUF !

HOP JE PRÉCHAUFFE LE FOUR SUR FORT...
TIP TIP
OU PLUTÔT SUR MÉGA FORT...

DEUX JAUNES D'OEUFS BIEN SÉPARÉS DU BLANC.
WAAAH J'SUIS KRO FORTE !
J'SUIS BLUFFÉE. ET SINON, JE FAIS QUOI MAINTENANT, CHEF ?

BEN RIEN, C'EST TOUT.
MAIS ELLE PEUT PAS SE FINIR COMME ÇA, TA RECETTE.

BEN SI. J'AI DEMANDÉ À ALLER FAIRE PIPI, ALORS, FORCÉMENT...
J'AI PAS VU LA FIN DU COURS.
BON APPÉTIT !!!

CAZENOVE ET WILLIAM

À UN MOMENT, DANS LES BOIS, C'ÉTAIT SUPER MARRANT ...
IL Y AVAIT TOUT PLEIN DE TRUCS ET DE...

'TTENDEZ, J'REVIENS !!!

ALORS, JE DISAIS, SUR LE CHEMIN, Y AVAIT COMME UN PAILLASSON DE FEUILLES MORTES. PLEIN, PLEIN DE PARTOUT.

ET AUSSI DE LA TERRE PAR-DESSUS.

FAUT PAS OUBLIER LES P'TITS CAILLOUX ET Y EN AVAIT DES KRO BEAUX !
POC
POC POC
CUBIK

ET ALORS ?
VOILÀ, VOILÀ JE VOUS EXPLIQUE. ON ARRIVAIT COMME ÇA, SUR LE CHEMIN...
ET PUIS APRÈS, D'UN COUP...

... NON, VENEZ, JE VAIS CARRÉMENT VOUS EXPLIQUER SUR PLACE, CE SERA PLUS SIMPLE ...

OH NON, C'EST PAS VRAI ?!
SI, C'EST VRAI ! ET JE SUIS SÛR QUE MARINE VA TROUVER UNE BONNE EXCUSE, EN PLUS... PFFF...

CAZENOVE ET WILLIAM

AH AH AH, Z'AVEZ VU COMME C'EST TROP DES VORACES.
PETIT PETIT PETIT
HI HI ILS ADORENT MON GOÛTER...
HEU... QUELQU'UN PEUT ME DONNER DU PAIN POUR LES CYGNES? J'EN AI PAS PRIS.

BEN, C'ÉTAIT MON DERNIER QUIGNON, MARINE.
PFFF...
PAREIL.
ET MOI, J'AI FINI MON CROISSANT.

QU'EST-CE QUE TU VAS LEUR DONNER, DU COUP?
FOUILLE FOUILLE
JUSTEMENT, JE CROIS QUE...
ATTENTION, MARINE...
IL FAUT SURTOUT PAS LEUR DONNER DES BONBECS, CAR C'EST MAUVAIS POUR LEURS DENTS.

T'INQUIETE, ANAÏS, C'EST PAS DES BONBONS...
MAIS JUSTE DE LA MONNAIE, COMME ÇA, ILS IRONT S'ACHETER CE QU'ILS VEULENT!

CAZENOVE ET WILLIAM

RAH LÀ LÀ... C'EST LA CATA... LA CATA... JE REÇOIS MON STARS MAG AUJOURD'HUiiii... POHA.. LA CATAAA ...
HEEU... C'EST Si GRAVE QUE ÇA ?

MAiS OUi, GRAVE ! GRAVE ! REGARDE ÇA, iL TOMBE DES CORDES.
AH OUi... iL PLEUT QUOi !

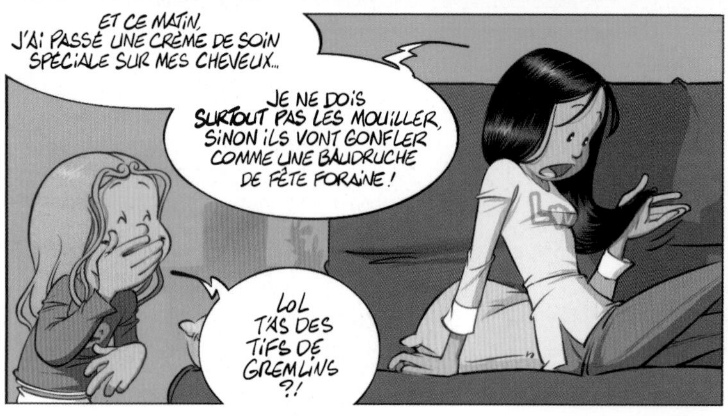
ET CE MATiN, J'AI PASSÉ UNE CRÈME DE SOiN SPÉCiALE SUR MES CHEVEUX...
JE NE DOiS SURTOUT PAS LES MOUiLLER, SiNON iLS VONT GONFLER COMME UNE BAUDRUCHE DE FÊTE FORAiNE !
LOL T'AS DES TiFS DE GREMLiNS ?!

iLS VONT CHANGER DE COULEUR ...
S'ENTORTiLLER ET DEVENiR DURS ET PiQUANTS.
TRAUMATiSME PUiSSANCE MiLLE !

ET APRÈS JE DEVRAi ALLER CHEZ LE DOCTEUR DES CHEVEUX, iL VA ME RASER LE CRÂNE... ÇA SERA HORRiBLE !
MAXENCE NE ME REGARDERA MÊME PLUS.
BOU HOU HOU HOU HOU
JE SAVAiS PAS TOUT ÇA, MOi...

BOUHOU HOU HOU HOU
NE PLEURNiCHE PLUS, VA.

JE VAiS Y ALLER, MOi, À LA BOÎTE AUX LETTRES ...
MES CHEVEUX, iLS ONT PEUR DE RiEN !

Hi, Hi. POURVU QU'ELLE NE GRANDiSSE PAS TROP ViTE.

CAZENOVE ET WiLLiAM

WENDY EST-CE QUE TU AS DES LIVRES SUR LES CHÂTEAUX COSTAUDS ???
LES CHÂTEAUX FORTS ?! MAIS T'EN AS DÉJÀ PRIS DES CAISSES HIER À LA BIBLIO.

OUAIS, MAIS J'AIMERAIS EN AVOIR D'AUTRES.
BEN REGARDE DANS MA CHAMBRE, SUR L'ÉTAGÈRE DU HAUT.

SINON DANS L'ARMOIRE...
MAIS TU METS PAS LE BOXON !
T'INQUIÈTE, TU M'CONNAIS.

J'EN AI TROUVÉ DEUX, JE TE LES PRENDS...
ET T'EN AURAIS SUR LES CHEVALIERS ET LES PAYSANS DU MOYEN ÂGE ?

OUI, J'EN AI AUSSI. PRENDS CE QUE TU VEUX.
OK ! JE PRENDS TOUT. MERCI MA WENDY.
J'EN AI POUR UN MOMENT, LÀ, PFIOUU...

MARINE QUI S'INSTRUIT... VACH'... C'EST DINGUE QUAND MÊME ...
SLURP !

HI HI MA SISTER CROIT QUE C'EST POUR LES LIRE...
NOOON... SI ?!
LOL QUELLE QUICHE !

CAZENOVE ET WILLIAM

ALLEZ MARIIINE !
C'EST TOI LA CHAMPIONNE !!!

ET DIRE QUE DÉJÀ GAMINES, VOUS PARTICIPIEZ À CETTE COURSE.
AH ÇA, C'EST UNE INSTITUTION ICI, LA PORTNAWAK RUN.

EN TOUT CAS, TA SISTER A TOUJOURS AUTANT LA NIAQUE.
BAH, DU MOMENT QU'IL Y A DE LA BOUE, T'SAIS.

ET C'EST MARINE QUI PASSE DEVANT !!!

VICTOIRE DE MARIIINE !
YES !

ELLE N'A PAS TROP CHANGÉ, EN FAIT.
CLAP CLAP CLAP
OH SI, ELLE EST QUAND MÊME BEAUCOUP PLUS MATURE. HEUREUSEMENT.

HUH HAH ?!

BEN ALORS, WENDY !!!
DEPUIS QUAND TU ME PORTES PLUS DANS TES BRAS QUAND JE GAGNE ???
EN FAIT NON, ELLE N'A PAS CHANGÉ DU TOUT !!!
NIAH AH AH AH AH

CAZENOVE ET WILLIAM

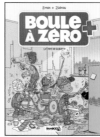

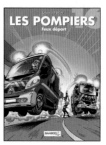